Música Brasileira para conjuntos de flauta Vol. 1

coleção Celso Woltzenlogel

Arranjos de
Alberto Arantes

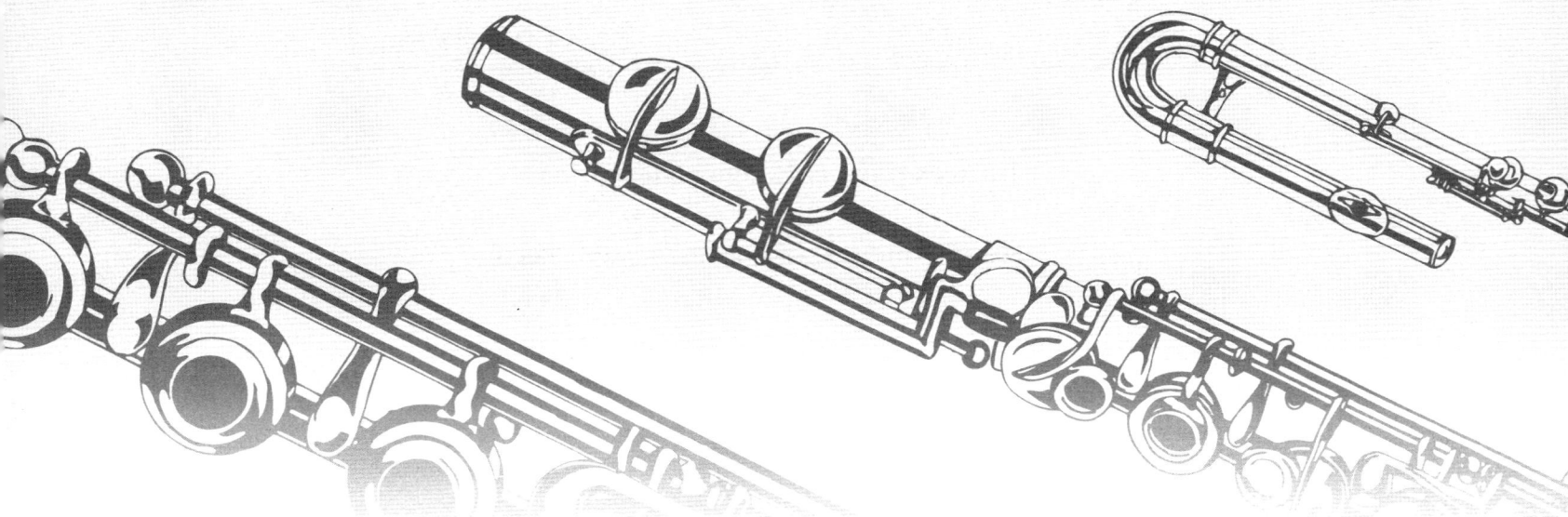

Nº Cat.: 01-LUDUS

Irmãos Vitale Editores Ltda.
vitale.com.br
Rua Raposo Tavares, 85 São Paulo SP
CEP: 04704-110   editora@vitale.com.br   Tel.: 11 5081-9499

© Copyright 1988 by Irmãos Vitale Editores Ltda. - São Paulo - Rio de Janeiro - Brasil.
Todos os direitos autorais reservados para todos os países. *All rights reserved.*

Dados Internacionais de Catalogação na Publicação (CIP)
(Câmara Brasileira do Livro, SP, Brasil)

Arantes, Alberto
  Música brasileira para conjuntos de flauta, volume 1 / arranjos de Alberto Arantes. -- São Paulo :
Irmãos Vitale   -- (Coleção Celso Woltzenlogel)

  1. Flauta - Música 2. Música popular - Brasil
I. Título. II. Série.
ISBN 85-85188-02-2
ISBN 978-85-85188-02-3

96-1505   CDD-788.3

Indíces para catálogo sistematico:

1. Flauta : Música brasileira : Partituras   788.3

Capa: Rui de Oliveira - Rosângela de Araujo

Agradecimentos a Murilo Barquette, Eugênio Ranevski, Fernando Brandão, Paulo Guimarães, José Carlos de Castro e Paulo Sergio Santos, pelo paciente trabalho de revisão.

Música Brasileira para Conjuntos de Flauta

A coleção de música brasileira para conjuntos de flauta inicia-se com um primeiro volume contendo oito grandes sucessos da música popular brasileira.

Os arranjos de Alberto Arantes são de dificuldade média e foram cuidadosamente selecionados com o fim de despertar o interesse pela prática de música de conjunto.

Foram concebidos para flautas em Dó, com acompanhamento opcional de violão e contrabaixo, que funcionam como uma sessão rítmica. Podem ser facilmente transformados em corais de flauta com a simples dobra das partes.

A Ária das Bachianas Brasileiras n.º 5 é o único arranjo concebido para flautas em Dó e flautas em Sol, podendo estas últimas serem substituídas por duas clarinetas em Si♭.

Celso Woltzenlogel

ALBERTO ARANTES
O ARRANJADOR

Paulista de Marília, onde nasceu em 1939, herdou de sua família o gosto pela música, cultivado durante os inúmeros saraus realizados em casa de seus tios e avós.

Apesar de todas as dificuldades que a vida lhe apresentou conseguiu tornar-se músico profissional tendo para isso contado com a orientação de grandes mestres como Guerra-Peixe e Koellreuter. Foi porém, no dia a dia para sobreviver que desenvolveu sua grande arte de arranjador.

Escreveu importantes arranjos para os mais famosos cantores da música popular brasileira e para trilhas sonoras de cinema e TV. Seu trabalho mais recente foi para o filme «Prisioneiro do Rio», em parceria com o célebre Luiz Bonfá.

Do flautista e amigo Celso Woltzenlogel, que participou da gravação de quase todos os seus trabalhos, recebeu o incentivo para escrever para flauta.

Os oito arranjos contidos neste 1.º volume mostram a força do seu admirável talento.

ÍNDICE

	Pág.
GAROTA DE IPANEMA	7
TICO-TICO NO FUBÁ	11
ASA BRANCA	14
MANHÃ DE CARNAVAL	20
AQUARELA DO BRASIL	25
CARINHOSO	33
ODEON	37
BACHIANAS BRASILEIRAS N.º 5 (Ária)	41

Coleção Celso Woltzenlogel
Música Brasileira para Conjuntos de Flauta

GAROTA DE IPANEMA

Arranjo de Alberto Arantes

Tom Jobim e Vinícius de Moraes

© Copyright 1975 by ANTONIO CARLOS JOBIM (50%)
© Copyright 1975 by TONGA EDITORA MUSICAL LTDA.
(parte 50% de Vnícius de Moraes) Todos os direitos reservados - All rights reserved.

TICO-TICO NO FUBÁ

Zequinha Abreu
Arranjo de Alberto Arantes

ASA BRANCA

Arranjo de Alberto Arantes

Luiz Gonzaga e Humberto Teixeira

MANHÃ DE CARNAVAL

Arranjo de Alberto Arantes

Luiz Bonfá e Antonio Maria

Coleção Celso Woltzenlogel
Música Brasileira para Conjuntos de Flauta

GAROTA DE IPANEMA

1.ª Flauta

Tom Jobim e Vinícius de Moraes
Arranjo de Alberto Arantes

TICO-TICO NO FUBÁ

1.ª Flauta

Zequinha Abreu
Arranjo de Alberto Arantes

ASA BRANCA

Luiz Gonzaga e Humberto Teixeira
Arranjo de Alberto Arantes

1.ª Flauta

MANHÃ DE CARNAVAL

Luiz Bonfá e Antonio Maria
Arranjo de Alberto Arantes

AQUARELA DO BRASIL

1.ª Flauta

Ary Barroso
Arranjo de Alberto Arantes

CARINHOSO

1.ª Flauta

Pixinguinha
Arranjo de Alberto Arantes

ODEON

1.ª Flauta

Ernesto Nazareth
Arranjo de Alberto Arantes

BACHIANAS BRASILEIRAS n.º 5
(ÁRIA)

Heitor Villa-Lobos
Arranjo de Alberto Arantes

1.ª Flauta

Coleção Celso Woltzenlogel
Música Brasileira para Conjuntos de Flauta

GAROTA DE IPANEMA

2.ª Flauta

Tom Jobim e Vinícius de Moraes
Arranjo de Alberto Arantes

© Copyright 1975 by ANTONIO CARLOS JOBIM (50%)
© Copyright 1975 by TONGA EDITORA MUSICAL LTDA.
(parte 50% de Vinícius de Moraes)   Todos os direitos reservados · All rights reserved

01-Ludus

TICO-TICO NO FUBÁ

2.ª Flauta

Zequinha Abreu
Arranjo de Alberto Arantes

© Copyright 1941 by IRMÃOS VITALE S/A. Ind. e Com. - São Paulo - Rio de Janeiro - Brasil
Todos os direitos autorais reservados para todos os países - All Rights Reserved

01-Ludus

ASA BRANCA

2.ª Flauta

Luiz Gonzaga e Humberto Teixeira
Arranjo de Alberto Arantes

MANHÃ DE CARNAVAL

2.ª Flauta

Luiz Bonfá e Antonio Maria
Arranjo de Alberto Arantes

© Copyright Agosto 1958 by EDIÇÕES EUTERPE LTDA. - São Paulo - Rio de Janeiro - Brasil
Todos os direitos internacionais reservados - All rights reserved.

01-Ludus

AQUARELA DO BRASIL

Ary Barroso
Arranjo de Alberto Arantes

2.ª Flauta

CARINHOSO

2.ª Flauta

Pixinguinha
Arranjo de Alberto Arantes

ODEON

2.ª Flauta

Ernesto Nazareth
Arranjo de Alberto Arantes

© Copyright 1945 by E. S. MANGIONE © 1963 EDITORIAL MANGIONE S.A.
© Copyright 1968 by MANGIONE e FILHOS - São Paulo - Brasil
Todos os direitos autorais reservados.

01-Ludus

BACHIANAS BRASILEIRAS n.º 5
(ÁRIA)

2.ª Flauta

Heitor Villa-Lobos
Arranjo de Alberto Arantes

Coleção Celso Woltzenlogel
Música Brasileira para Conjuntos de Flauta

GAROTA DE IPANEMA

3.ª Flauta

Tom Jobim e Vinícius de Moraes
Arranjo de Alberto Arantes

© Copyright 1975 by ANTONIO CARLOS JOBIM (50%)
© Copyright 1975 by TONGA EDITORA MUSICAL LTDA.
(parte 50% de Vinícius de Moraes) Todos os direitos reservados - All rights reserved

01-Ludus

TICO-TICO NO FUBÁ

Zequinha Abreu
Arranjo de Alberto Arantes

3.ª Flauta

ASA BRANCA

3.ª Flauta

Luiz Gonzaga e Humberto Teixeira
Arranjo de Alberto Arantes

MANHÃ DE CARNAVAL

3.ª Flauta

Luiz Bonfá e Antonio Maria
Arranjo de Alberto Arantes

AQUARELA DO BRASIL

3.ª Flauta

Ary Barroso
Arranjo de Alberto Arantes

CARINHOSO

3.ª Flauta

Pixinguinha
Arranjo de Alberto Arantes

© Copyright 1936 by E. S. MANGIONE © 1952 EDITORIAL MANGIONE S.A.
© Copyright 1968 by MANGIONE e FILHOS - São Paulo - Brasil
Todos os direitos autorais reservados.

ODEON

3.ª Flauta

Ernesto Nazareth
Arranjo de Alberto Arantes

BACHIANAS BRASILEIRAS n.º 5
(ÁRIA)

Heitor Villa-Lobos
Arranjo de Alberto Arantes

3.ª Flauta

Coleção Celso Woltzenlogel
Música Brasileira para Conjuntos de Flauta

GAROTA DE IPANEMA

Tom Jobim e Vinícius de Moraes
Arranjo de Alberto Arantes

4.ª Flauta

TICO-TICO NO FUBÁ

4.ª Flauta

Zequinha Abreu
Arranjo de Alberto Arantes

© Copyright 1941 by IRMÃOS VITALE S/A. Ind. e Com. - São Paulo - Rio de Janeiro - Brasil
Todos os direitos autorais reservados para todos os paises - All Rights Reserved

01-Ludus

ASA BRANCA

4.ª Flauta

Luiz Gonzaga e Humberto Teixeira
Arranjo de Alberto Arantes

© Copyright 1947 by RIO MUSICAL LTDA. - São Paulo - Rio de Janeiro - Brasil
Todos os direitos autorais reservados - All rights reserved.

01-Ludus

MANHÃ DE CARNAVAL

4.ª Flauta

Luiz Bonfá e Antonio Maria
Arranjo de Alberto Arantes

© Copyright Agosto 1958 by EDIÇÕES EUTERPE LTDA. - São Paulo - Rio de Janeiro - Brasil
Todos os direitos internacionais reservados - All rights reserved.

01-Ludus

AQUARELA DO BRASIL

4.ª Flauta

Ary Barroso
Arranjo de Alberto Arantes

CARINHOSO

4.ª Flauta

Pixinguinha
Arranjo de Alberto Arantes

ODEON

4.ª Flauta

Ernesto Nazareth
Arranjo de Alberto Arantes

BACHIANAS BRASILEIRAS n.º 5
(ÁRIA)

Heitor Villa-Lobos
Arranjo de Alberto Arantes

4.ª Flauta

Coleção Celso Woltzenlogel
Música Brasileira para Conjuntos de Flauta

GAROTA DE IPANEMA

Tom Jobim e Vinícius de Moraes
Arranjo de Alberto Arantes

Baixo

TICO-TICO NO FUBÁ

Zequinha Abreu
Arranjo de Alberto Arantes

Baixo

ASA BRANCA

Baixo

Luiz Gonzaga e Humberto Teixeira
Arranjo de Alberto Arantes

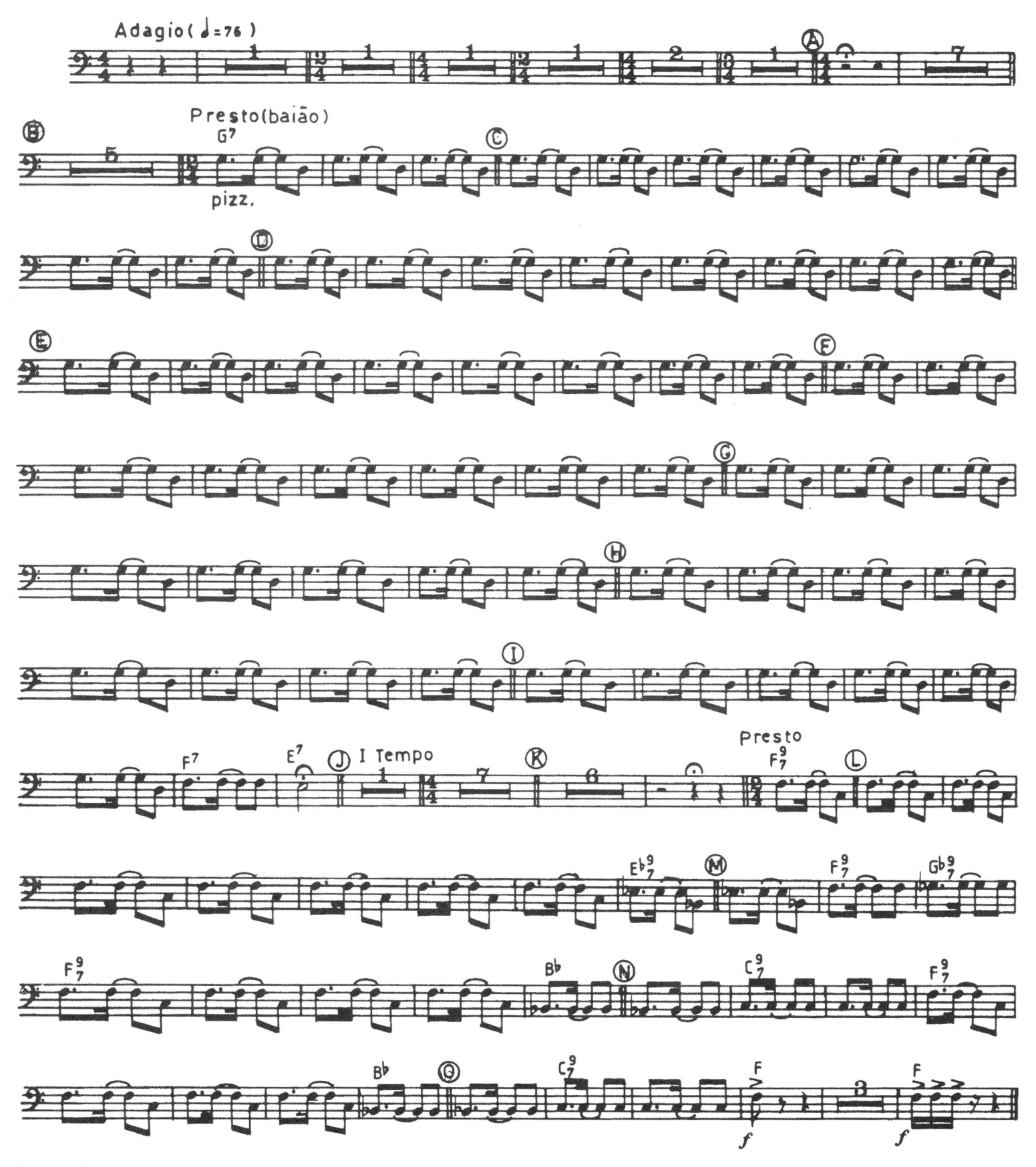

© Copyright 1947 by RIO MUSICAL LTDA. - São Paulo - Rio de Janeiro - Brasil
Todos os direitos autorais reservados - All rights reserved.

01-Ludus

MANHÃ DE CARNAVAL

Luiz Bonfá e Antonio Maria
Arranjo de Alberto Arantes

Baixo

AQUARELA DO BRASIL

Baixo

Ary Barroso
Arranjo de Alberto Arantes

CARINHOSO

Pixinguinha
Arranjo de Alberto Arantes

Baixo

ODEON

Ernesto Nazareth
Arranjo de Alberto Arantes

Baixo

BACHIANAS BRASILEIRAS n.º 5
(ÁRIA)

Heitor Villa-Lobos
Arranjo de Alberto Arantes

Baixo

© Copyright 1979 by IRMÃOS VITALE S/A. Ind. e Com. - São Paulo - Rio de Janeiro - Brasil
Todos os direitos autorais reservados para todos os países - All Rights Reserved

01-Ludus

BACHIANAS BRASILEIRAS n.º 5
(ÁRIA)

1.ª Flauta em Sol

Heitor Villa-Lobos
Arranjo de Alberto Arantes

BACHIANAS BRASILEIRAS n.º 5
(ÁRIA)

Heitor Villa-Lobos
Arranjo de Alberto Arantes

1.ª Clarineta em Si♭

BACHIANAS BRASILEIRAS n.º 5
(ÁRIA)

Heitor Villa-Lobos
Arranjo de Alberto Arantes

2.ª Flauta em Sol

BACHIANAS BRASILEIRAS n.º 5
(ÁRIA)

2.ª Clarineta em Si♭

Heitor Villa-Lobos
Arranjo de Alberto Arantes

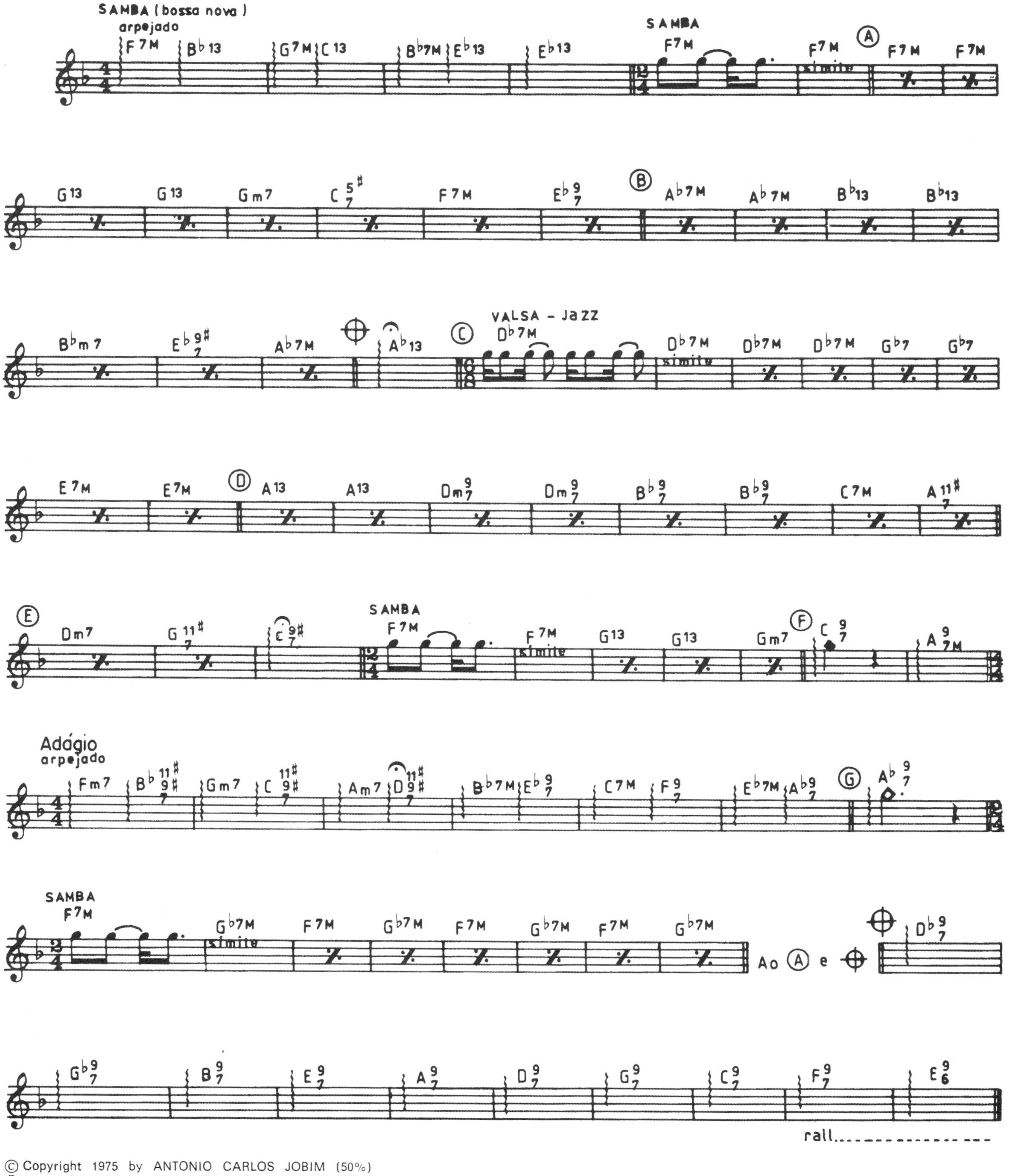

TICO-TICO NO FUBÁ

Violão

Zequinha Abreu
Arranjo de Alberto Arantes

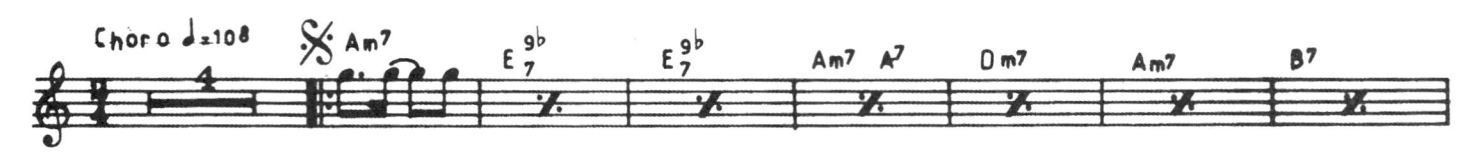

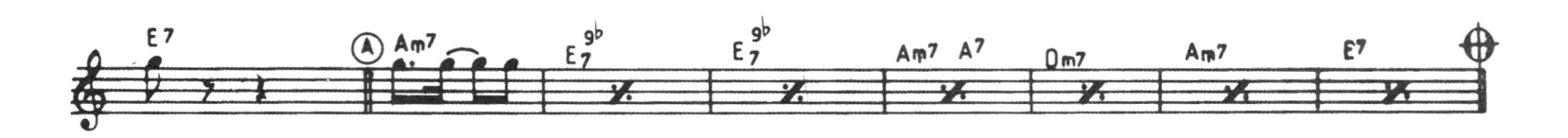

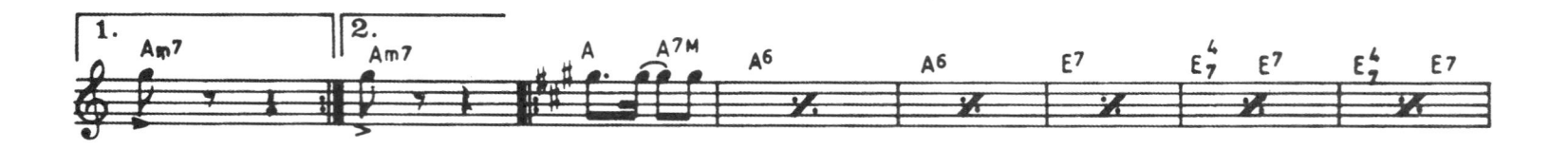

© Copyright 1941 by IRMÃOS VITALE S/A. Ind. e Com. - São Paulo - Rio de Janeiro - Brasil
Todos os direitos autorais reservados para todos os países - All Rights Reserved

01-Ludus

ASA BRANCA

Luiz Gonzaga e Humberto Teixeira
Arranjo de Alberto Arantes

Violão

MANHÃ DE CARNAVAL

Luiz Bonfá e Antonio Maria
Arranjo de Alberto Arantes

AQUARELA DO BRASIL

Violão

Ary Barroso
Arranjo de Alberto Arantes

CARINHOSO

Violão

Pixinguinha
Arranjo de Alberto Arantes

ODEON

Violão

Ernesto Nazareth
Arranjo de Alberto Arantes

AQUARELA DO BRASIL

Ary Barroso
Arranjo de Alberto Arantes

A
Adagio (♩ = 66)
mp
F6
Fm6
Eb9 7
D9 7
Tempo Primo
f
B
Tempo Primo (samba)
C9 7
pizz.

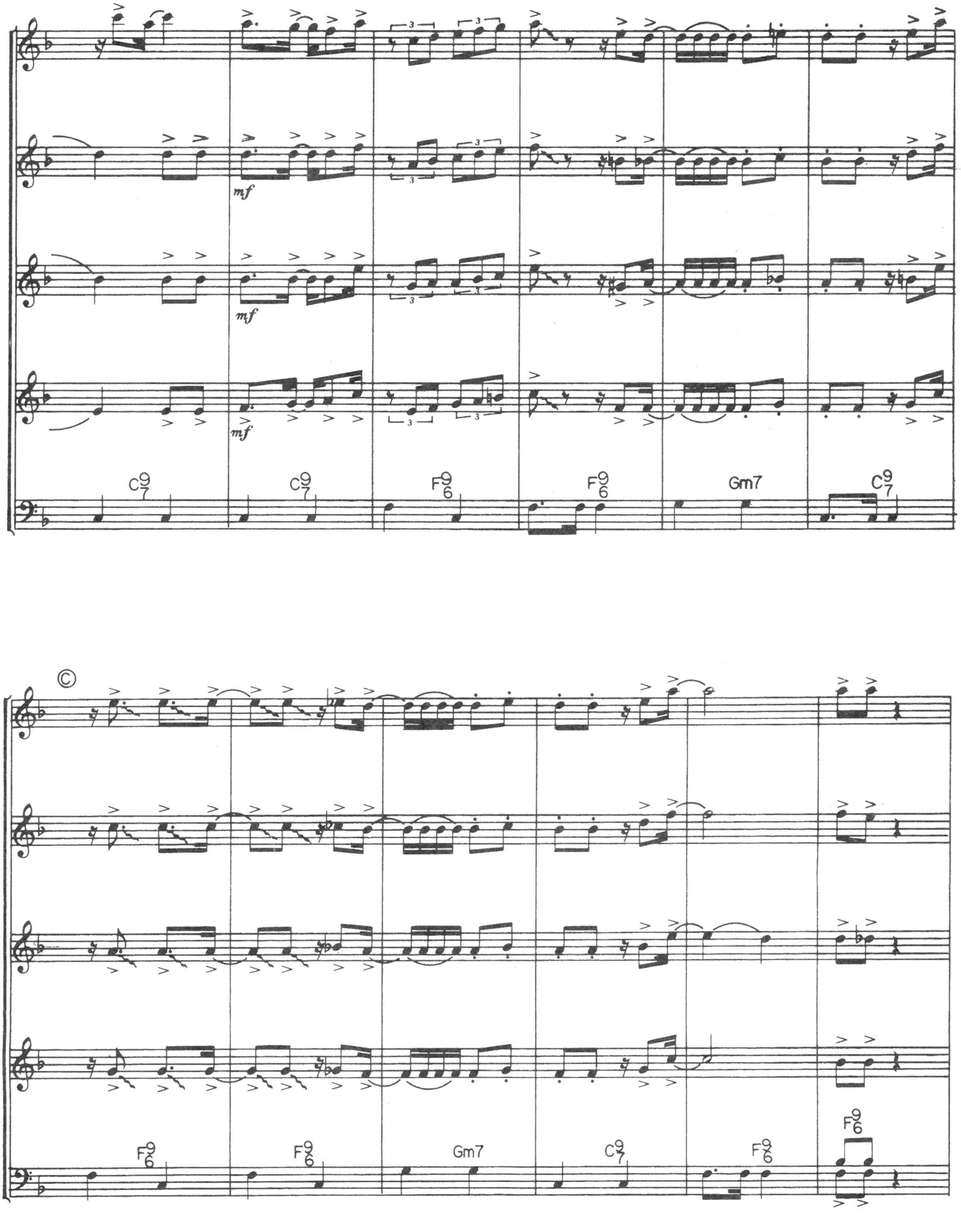
mf
mf
mf
C 9 7
C 9 7
F 9 6
F 9 6
Gm7
C 9 7
C
F 9 6
F 9 6
Gm7
C 9 7
F 9 6
F 9 6

28

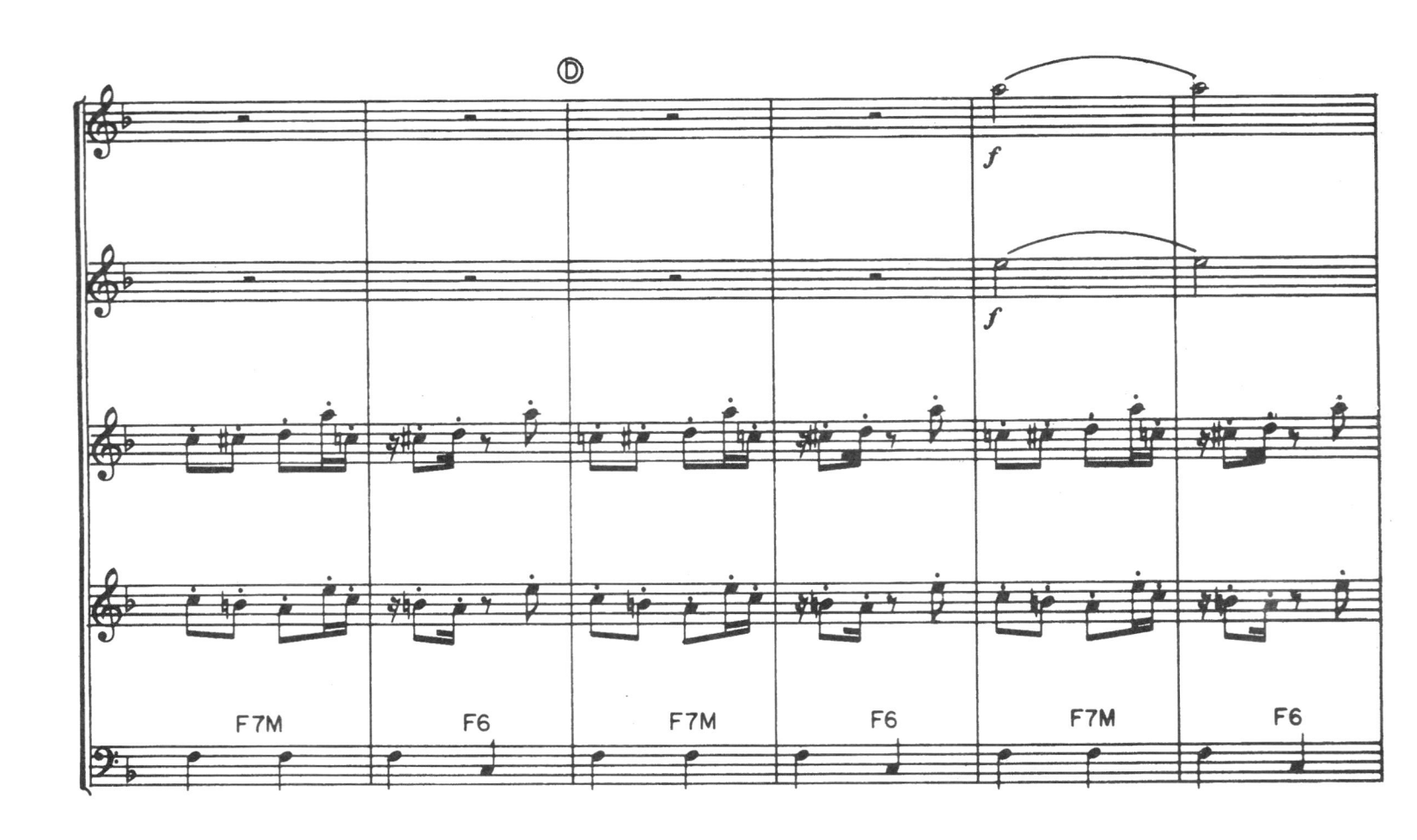

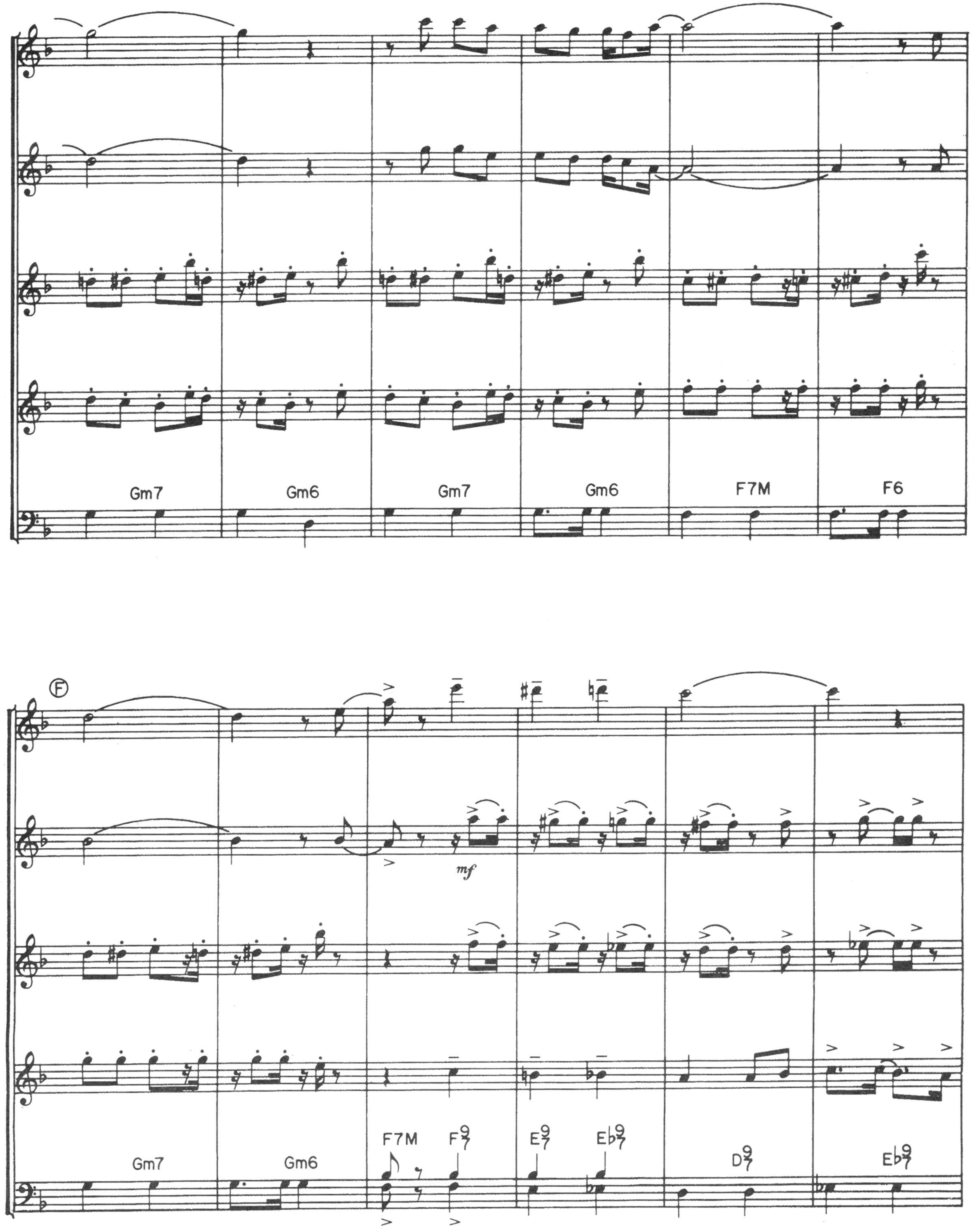
Gm7
Gm6
Gm7
Gm6
F7M
F6
F
mf
Gm7
Gm6
F7M
F9/7
E9/7
Eb9/7
D9/7
Eb9/7

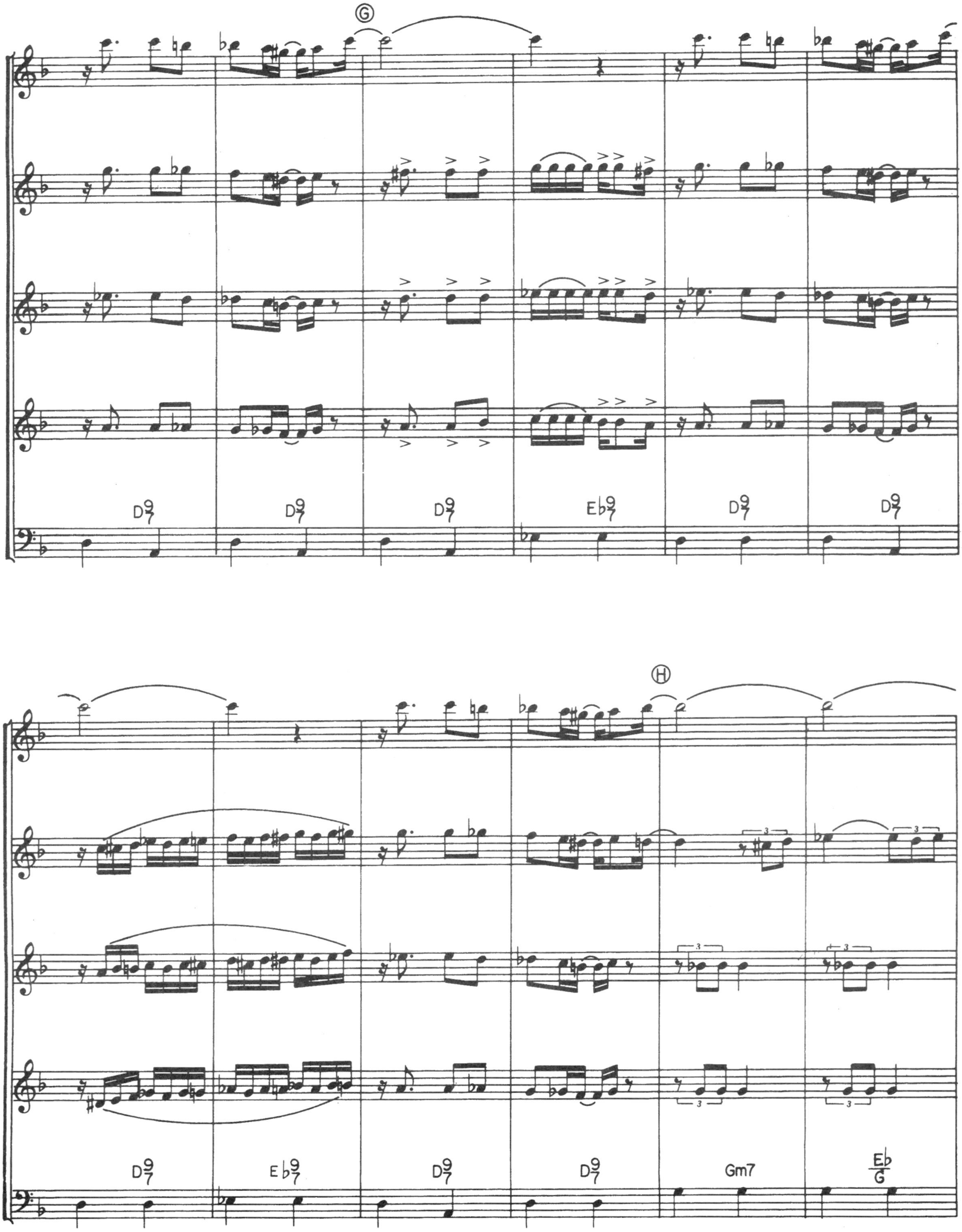
G
D9 7
D9 7
D9 7
Eb9 7
D9 7
D9 7
H
D9 7
Eb9 7
D9 7
D9 7
Gm7
Eb G

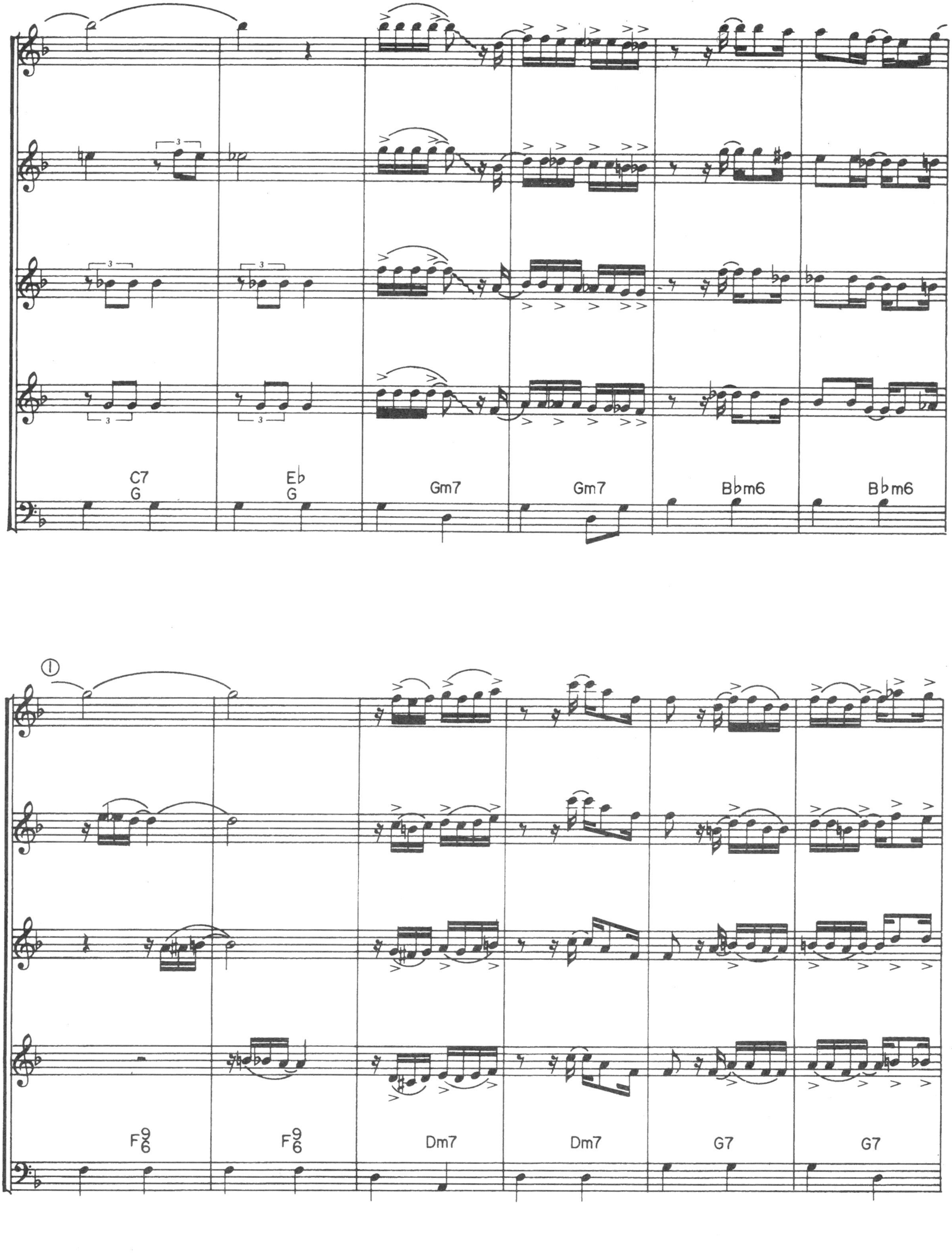
C7
G
E♭
G
Gm7
Gm7
B♭m6
B♭m6
1
F6/9
F6/9
Dm7
Dm7
G7
G7

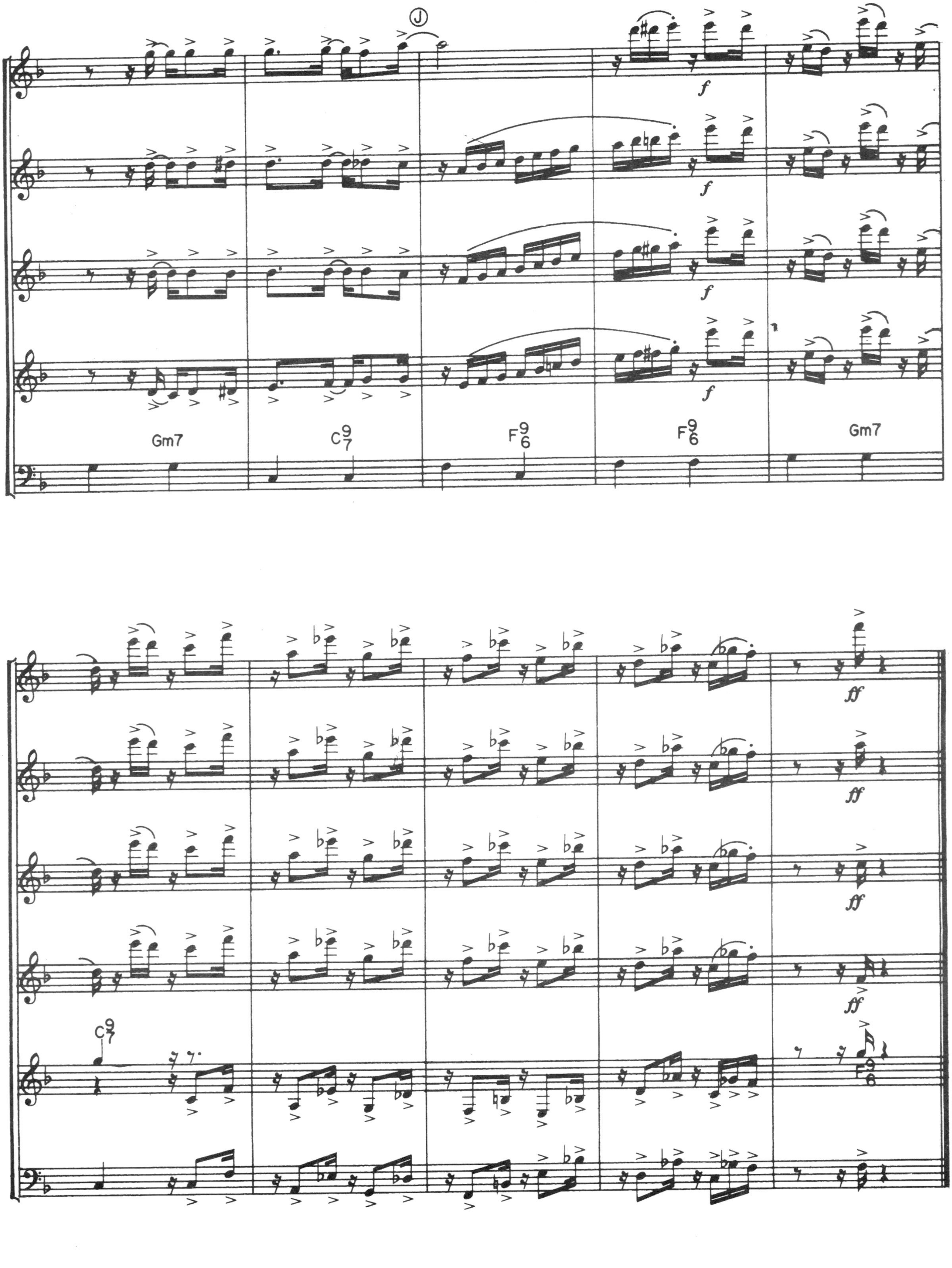
J
f
Gm7
C9/7
F9/6
F9/6
Gm7
C9/7
ff

CARINHOSO

Pixinguinha
Arranjo de Alberto Arantes

© Copyright 1936 by E. S. MANGIONE © 1952 EDITORIAL MANGIONE S.A.
© Copyright 1968 by MANGIONE e FILHOS - São Paulo - Brasil
Todos os direitos autorais reservados.

B
Am7 D9/7
Gm7 C9/7
F7M A7
Am7 D9/7
Dm7 Em7
F7M G9b/7
1.
2.
C
stacc.
C Fm6
C G9b/7
C B7
D
sforz. cresc.
mf
cresc.
E7
Am7 G9b/7

E
F
poco rall.
a tempo
C
B7
Dm7
G6/7
F7M
E7
Am7
E9b/7
Gm7
C9b/7
A9b/7
Bb4/7
C♯dim
C4/7
C7
Fm6
C5♯
C6

G
C C5#
C6 B7
Em Em5#
Em6 Em5#
Em Em5#
Em6 E7 9b
tr.
Am7 D9 7
Gm7 C9 7
F7M A7 9b
Am7 D9 7
Dm7 Em7
F7M G7
C6 Fm6
segue rall.
pp
C4 7 C7
F7M Fm6
C9 6

ODEON

Arranjo de Alberto Arantes

Ernesto Nazareth

1.
2.
Fim
mf
Fim
mp
Fim
Fim
C♯m7
F♯m7
C♯m7
G♯7
C♯m
C♯m
Fim
F♯7
B7
E
B7
Bdim.
F♯m7
F♯m7 5b
E
C♯dim.
F♯m7
B7
E
F♯7
B7

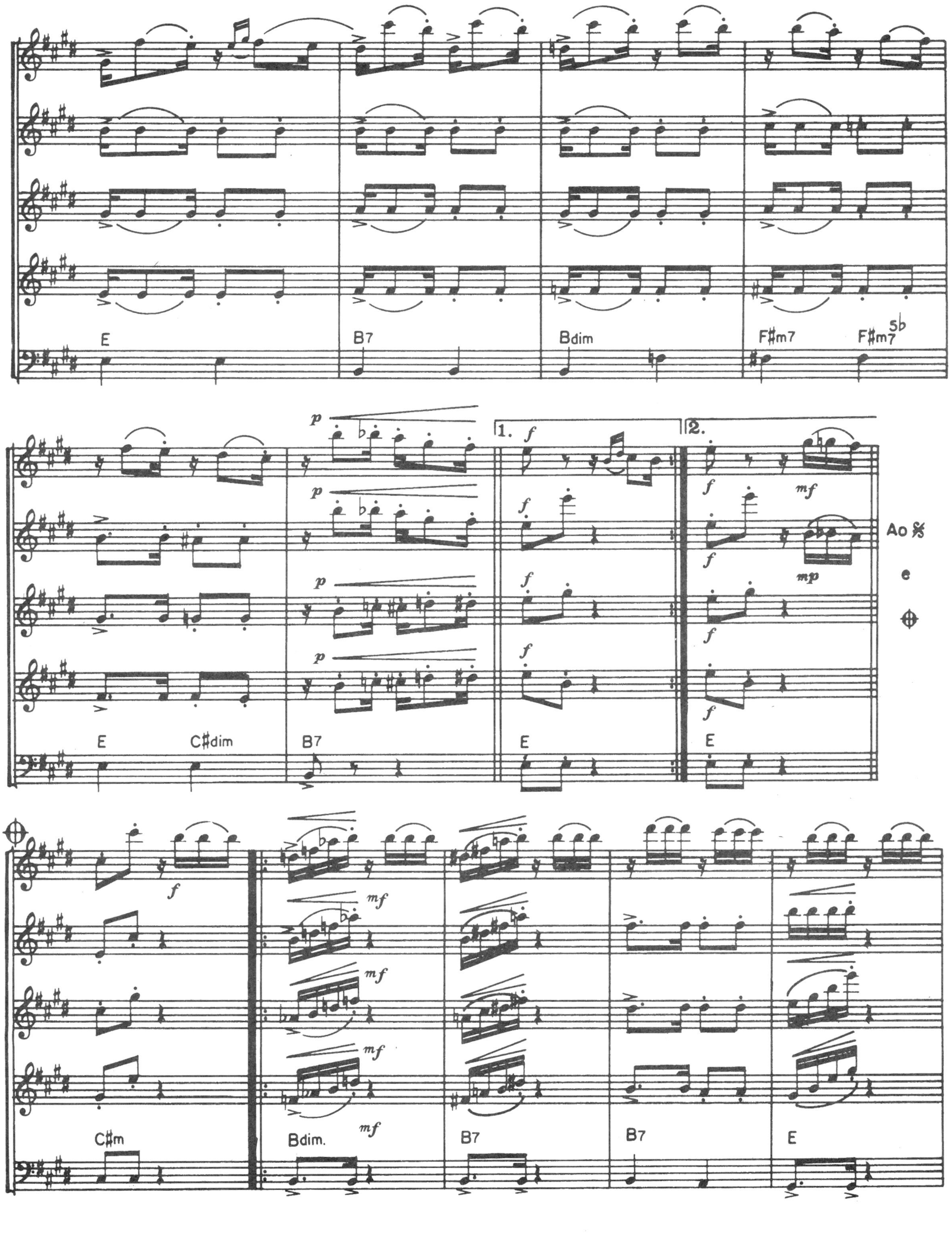
E
B7
Bdim
F♯m7
F♯m7 5b
E
C♯dim
B7
1.
2.
E
E
Ao 𝄋
e
⊕
C♯m
Bdim.
B7
B7
E

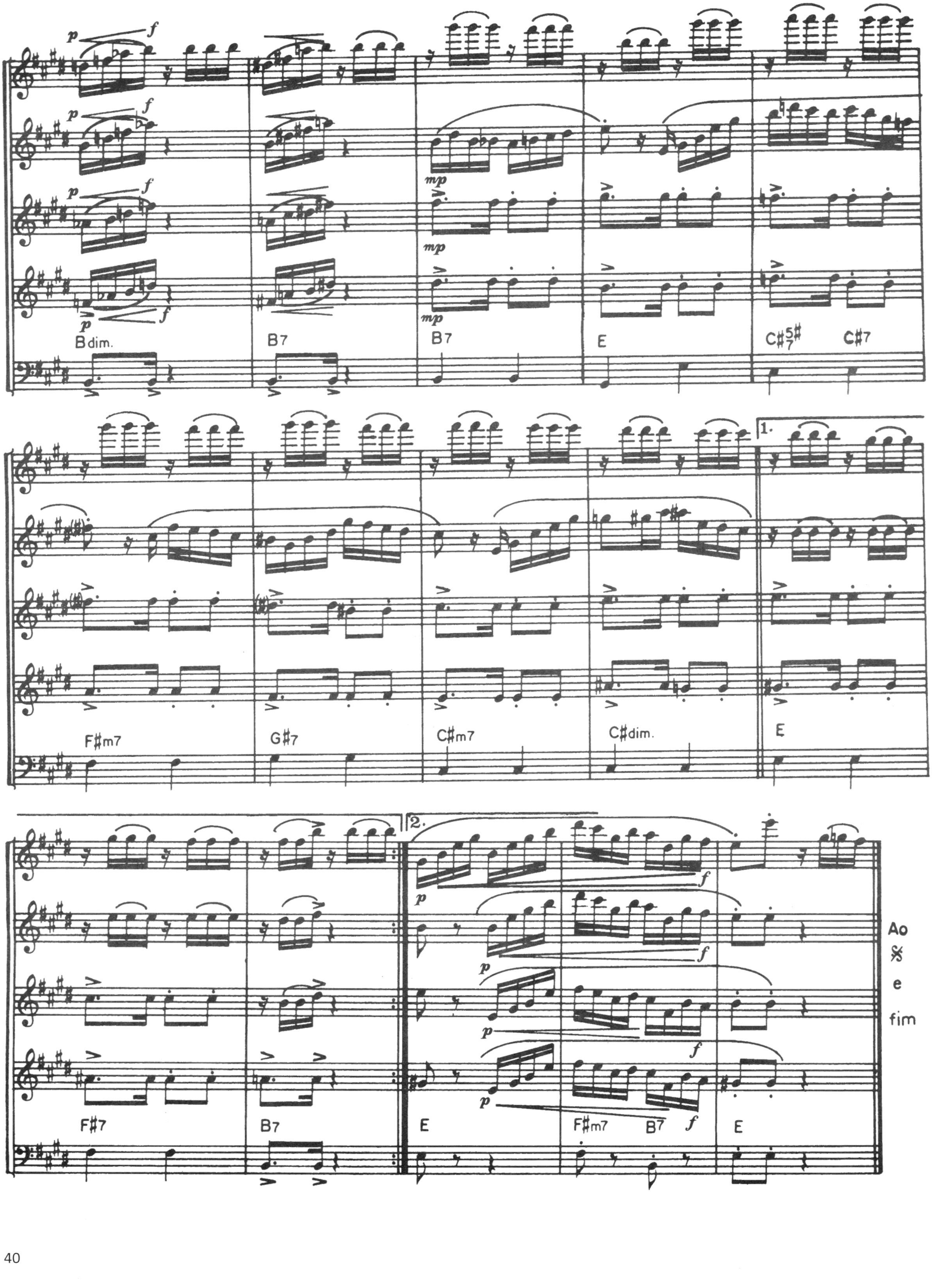
Bdim.
B7
B7
E
C♯5♯7
C♯7
F♯m7
G♯7
C♯m7
C♯dim.
1.
E
F♯7
B7
2.
E
F♯m7
B7
E
Ao
e
fim

BACHIANAS BRASILEIRAS n.º 5
(ÁRIA)

Heitor Villa-Lobos
Arranjo de Alberto Arantes

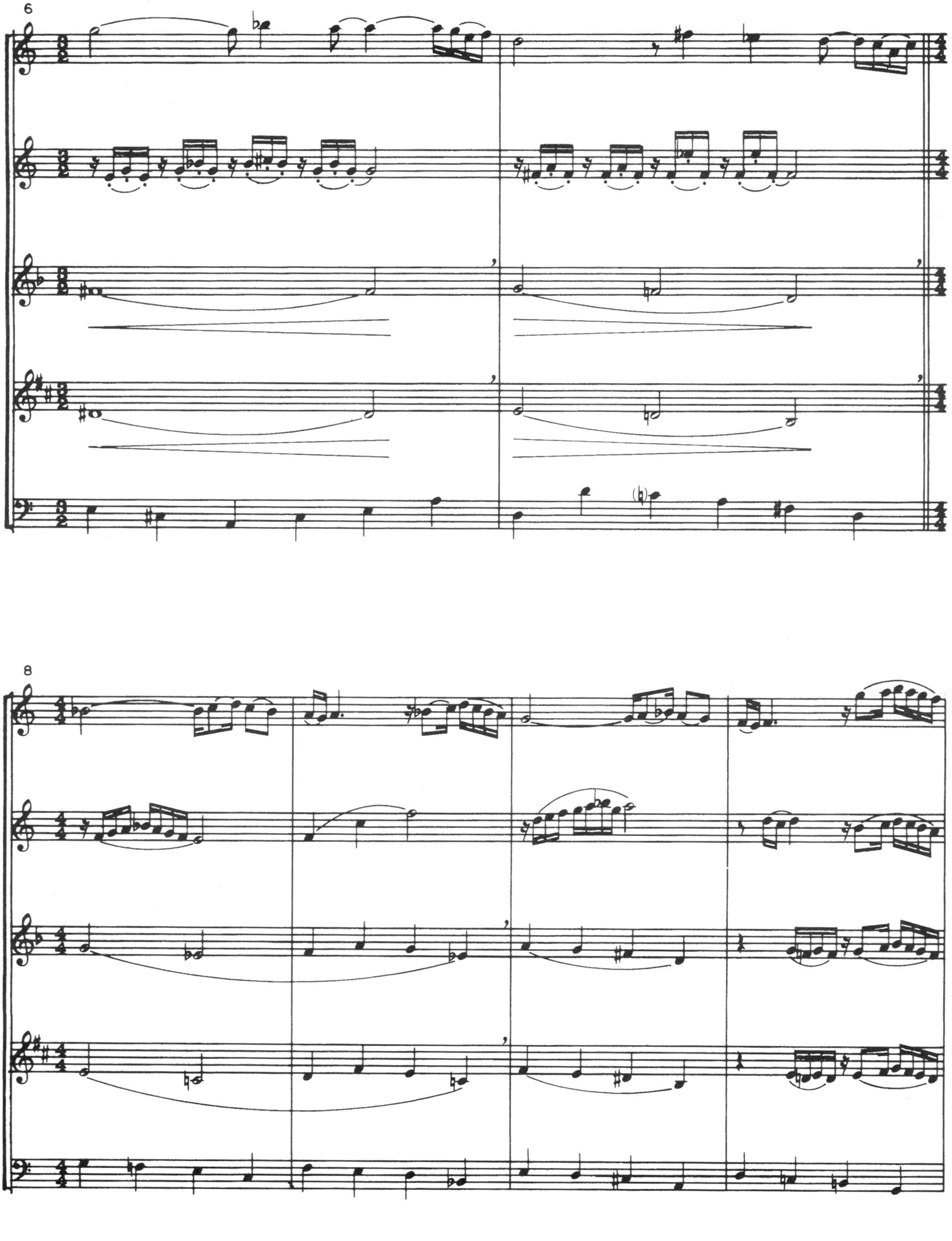
6
8

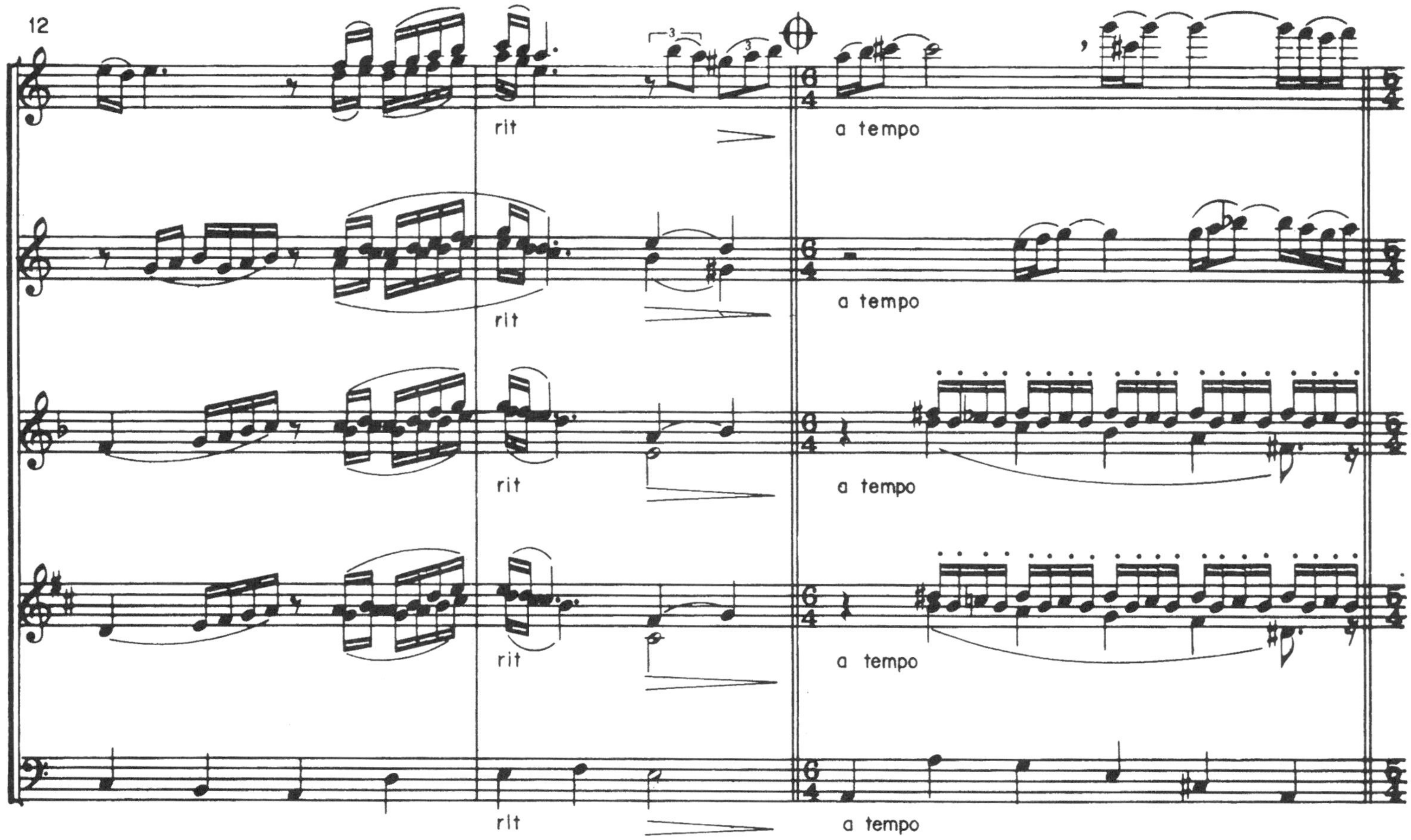

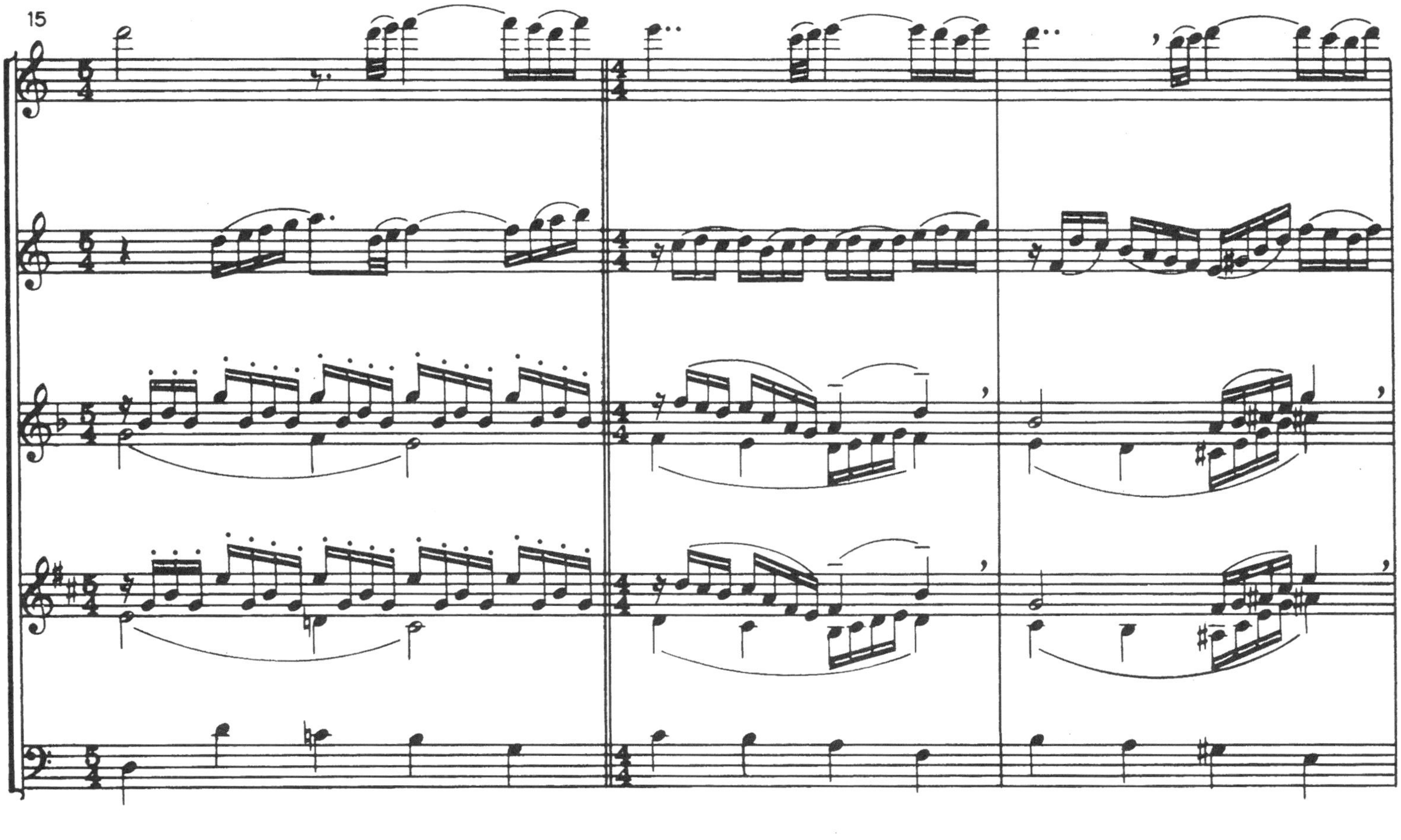

44

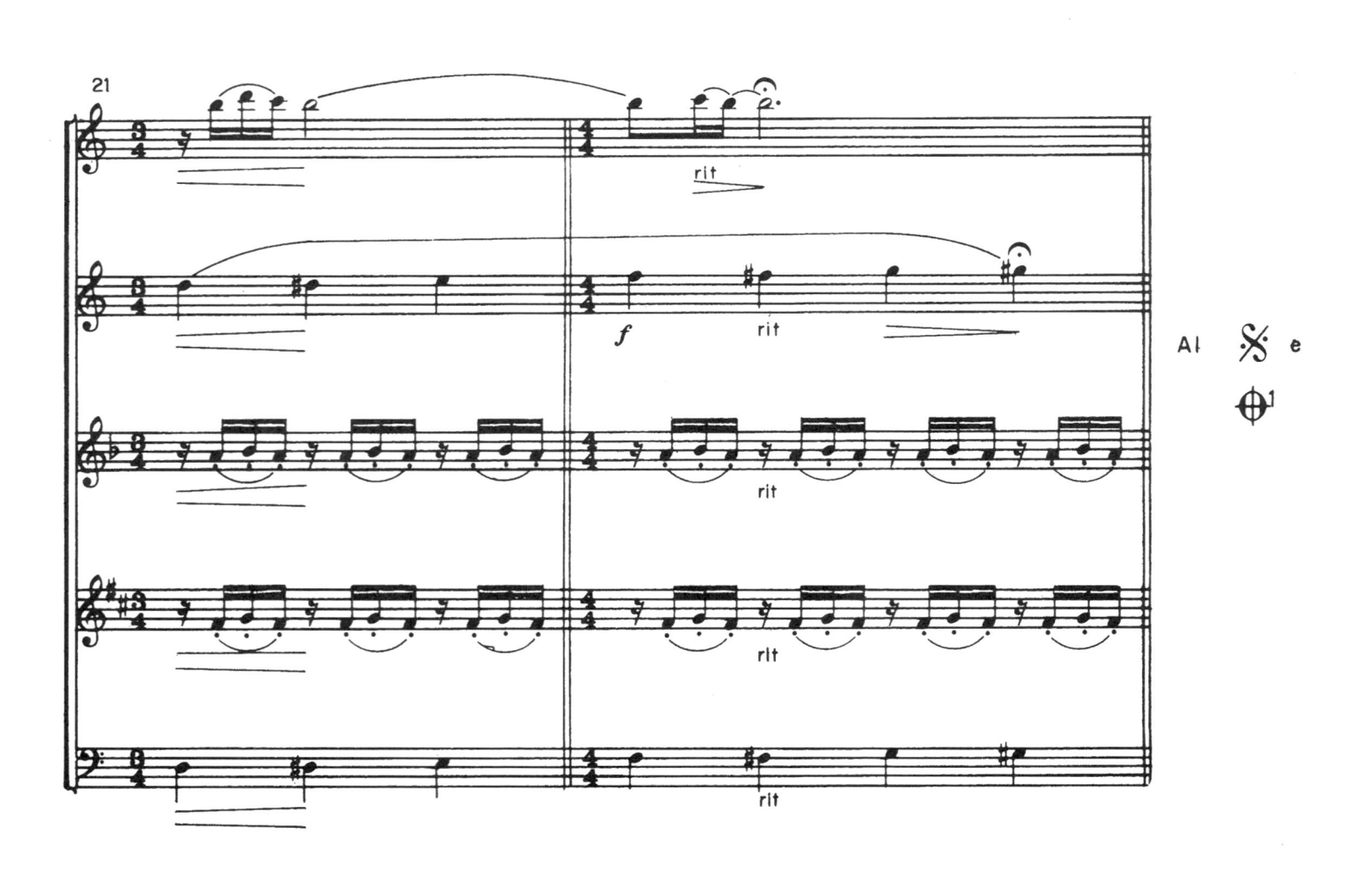

23
plu mosso e legato
a tempo rall
mf
mp
plu mosso e legato
a tempo rall
mp
plu mosso e legato
a tempo rall
mf
mp
plu mosso e legato
a tempo rall
mf
mp
plu mosso
c/ arco e s/ tasto
a tempo rall
26

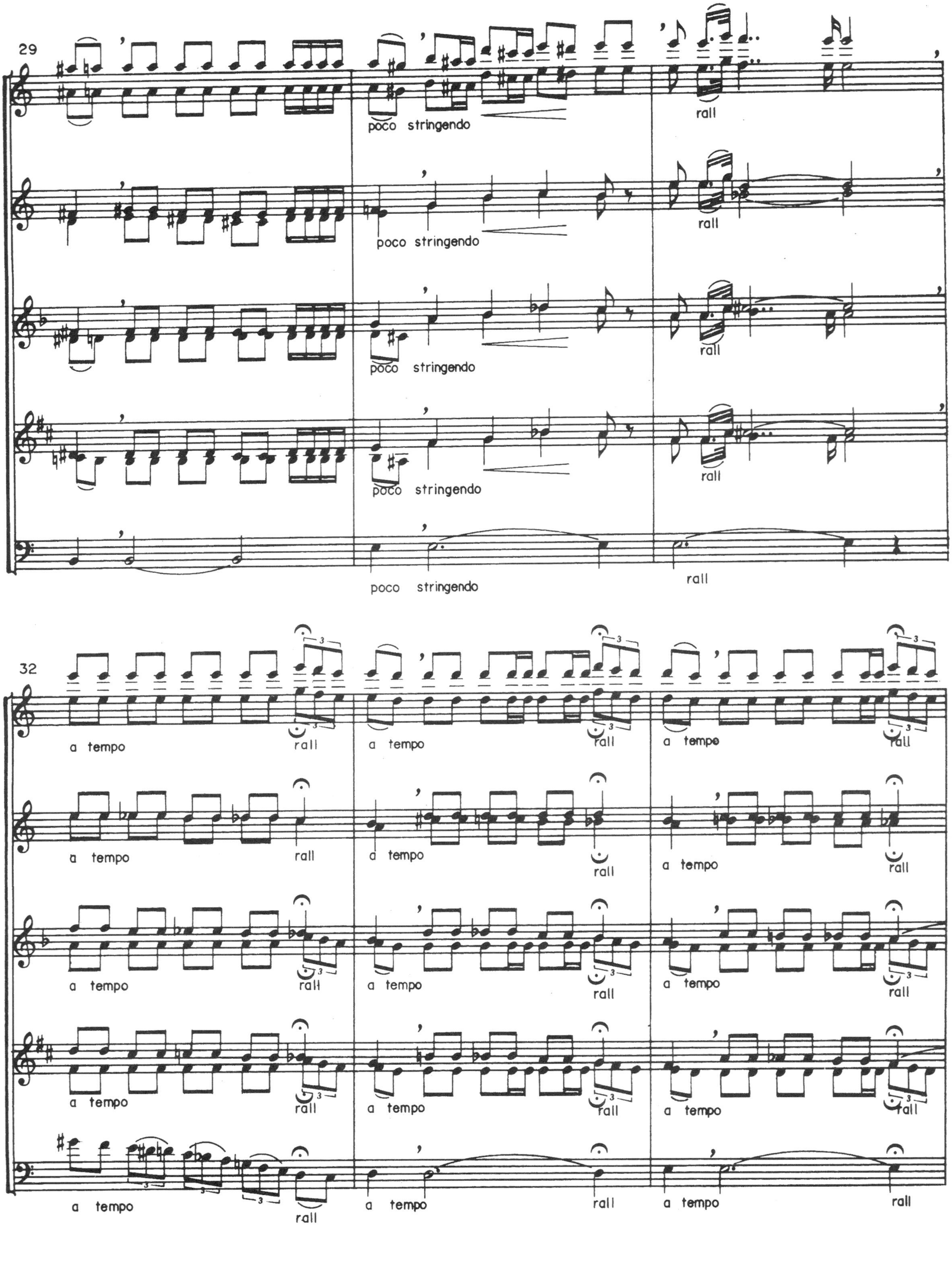
29
poco stringendo
rall
32
a tempo
rall

47